Bella Sara

Cet ouvrage a initialement paru en langue anglaise,
chez HarperCollins Children's Books, en 2013,
sous le titre : *Emma and the Search for the Sunflowers Herd.*

© Hachette Livre 2013 pour la présente édition.

Traduit de l'anglais par Nathalie Jakubowski.

Conception graphique du roman : Marie Drion.

Hachette Livre, 43, quai de Grenelle, 75015 Paris

Bella Sara

Le bijou d'Emma

hachette
JEUNESSE

LE MONDE DE BELLA SARA

Au-delà de l'aurore boréale se trouve le royaume du Nord de Septentrion. C'est là que vivent les chevaux magiques, des créatures éternelles et mystérieuses. Sara et sa jument, Bella, veillent sur les habitants du royaume.

SARA

Sara
est la déesse du Nord
de Septentrion. Elle connaît
tous les chevaux du royaume.
Un lien très fort l'unit à Bella.
Toutes deux communiquent par
la pensée, et la jument ressent
les émotions de
la jeune fille.

BELLA

Bella
est une jument magnifique
qui vit entourée de milliers
de chevaux magiques :
ceux qui vivent dans les airs,
les chevaux marins à la recherche
de trésors et, bien sûr,
les chevaux terrestres
qui sont les plus doux.

Résumé du tome précédent

Alors qu'elle n'est encore qu'une élève valkyrie, Emma poursuit sa première quête avec Deru, Colm et Johan. Pour trouver le troupeau Sunflower avant la sorcière Ivenna, elle doit réunir les cinq pétales de la pierre Sunstone, éparpillés à travers le Nord de Septentrion. Fiona et Jewel, les juments légendaires, lui ont déjà confié deux pétales. Emma et ses amis savent que le troisième est certainement gardé par Thunder. Mais le temps presse car Ivenna, la sorcière, a lancé ses Guerriers Loups à leurs trousses…

1. Les Montagnes du Solstice d'hiver

Pendant que Cattail et Reed, les chevaux aquatiques, tirent la bulle-calèche à travers la Mer d'Herbes, Deru régale ses amis d'histoires sur les créatures étranges qui nagent autour d'eux. Seule Emma ne l'écoute pas : elle est trop occupée à réfléchir à un plan au cas où ils croiseraient la route d'Ivenna... Comment faire pour affronter la reine des Guerriers Loups ?

Le soir, épuisée, elle s'endort dans son gros fauteuil moelleux. Mais des cauchemars la réveillent toute la nuit : Ivenna, la fleur, les loups…

Emma se réveille en sursaut quand Wings, son poulain, frotte ses naseaux contre sa joue. Encore groggy de sommeil, elle regarde autour d'elle et constate quatre choses. Un : il fait jour dehors. Deux : la bulle-calèche s'est arrêtée près de la rive d'un petit lac entouré d'herbes hautes. Trois : Cattail et Reed ne sont plus harnachés à l'avant de la bulle. Quatre : ses amis ont disparu !

Paniquée, Emma se tourne vers Wings qui lui désigne la berge d'un mouvement de la tête. En regardant de plus près, la fillette aperçoit Deru et Colm, assis dans l'herbe, en train de croquer des pommes. *Ils sont déjà réveillés !* se dit-elle. Un peu honteuse d'avoir dormi aussi longtemps, elle s'empresse de les rejoindre.

— Pas trop tôt ! s'exclame Colm.

— Où est Johan ? demande Emma.

— Il y a une ville, au nord d'ici, explique Deru. Johan est parti acheter de la nourriture, des vêtements chauds et du matériel de montagne. Je t'ai laissée dormir. Tu avais besoin de reprendre des forces !

— Oh, la montagne… C'est vrai !

Emma était si préoccupée par Ivenna et les loups qu'elle avait oublié les Montagnes du Solstice d'hiver et leur froid glacial.

— Moi, je n'ai pas besoin d'habits spéciaux pour voyager dans les montagnes, déclare Colm. Soot nous gardera bien au chaud tous les deux !

— Je suis sûr que tu seras quand même content d'avoir ce manteau ! déclare soudain une voix.

Colm sursaute. Johan est rentré de la ville avec un gros paquet dans les bras.

— Vite, montre-nous ce que tu as acheté ! s'exclame Deru.

— Quatre manteaux bordés de fourrure pour nous et des couvertures épaisses pour les chevaux, répond Johan. Mais aussi des chaussettes de laine, des gants… et des pierres de chaleur, ajoute-t-il en ouvrant un gros flacon de porcelaine pour en sortir quelques pierres rondes, grosses comme des œufs, emballées chacune dans du tissu.

— Qu'est-ce que c'est ? demande Colm.

— Les pierres de chaleur proviennent des montagnes, près de la rivière de

12

lave, explique Deru. Elles absorbent tant de chaleur qu'elles restent brûlantes pendant des mois… ou des années. Ensuite, il faut les remettre à leur place et attendre qu'elles se réchauffent.

— Ce n'est pas dangereux d'en avoir sur soi ? demande Emma.

— Pas tant qu'elles sont emballées dans le tissu, répond Johan. Une fois dans la montagne, nous les mettrons dans nos poches pour nous tenir chaud. Mais il ne faut jamais les déballer, sauf quand on a vraiment besoin d'une source de chaleur brûlante… pour faire la cuisine, par exemple.

— Parfait ! déclare Emma. Maintenant, mes amis, il est temps de nous mettre en route !

Les quatre compagnons mettent d'abord presque une heure à arriver au pied de la montagne. Quand ils commencent enfin à grimper, Emma doit relever la capuche de son nouveau manteau en cuir pour se protéger de la pluie. Les sapins qui bordent le sentier sont si hauts et si maigres qu'on dirait des brosses à dents ! Le chemin est recouvert d'épines de pins qui crissent sous les sabots des chevaux.

Après le déjeuner, une neige fine se met à tomber. La route est de plus en plus pentue et pleine de virages en zigzag. Après deux ou trois heures de marche, quand la neige devient trop épaisse, Johan fait signe au groupe et descend de cheval.

— Arrêtons-nous ici pour la nuit. On ne peut plus avancer, de toute manière.

Il a raison : la tempête de neige est si forte qu'il est difficile de voir à un mètre devant soi.

— Où est-ce qu'on va dormir ? marmonne Colm. Il n'y a pas d'abri !

— Je compte sur notre amie dryade pour résoudre ce problème, dit Johan en souriant.

Il sort de son sac une pomme de pin couleur arc-en-ciel et la tend à Deru.

— Pouvez-vous faire pousser cet arbre, toi et Twig ? demande-t-il.

— Ça ne va pas être facile, répond la fillette. D'habitude, les Sapins Éternels ne poussent pas ici car le sol est trop froid… Mais je vais essayer avec les pierres de chaleur. Il va falloir creuser !

— On s'en occupe, répond Colm en tapotant l'encolure de Soot.

Deru choisit un emplacement à l'écart du chemin. Colm déblaie d'abord la neige à coups de bottes. Puis Soot vient s'allonger et se frotter le dos contre le sol gelé. Son corps noir devient presque rouge sous l'effet de la chaleur brûlante qu'il dégage. Quand il se relève, le sol est couvert de suie. Johan y creuse un petit trou avec sa pelle. Puis, délicatement, il déballe six pierres de chaleur. Il les dépose au fond du trou, puis les recouvre de terreau magique, et ensuite de terre ordinaire.

— À vous de jouer, dit-il à Deru et à Twig.

Deru tend sa main droite au-dessus du monticule de terre.

— Grandis, murmure-t-elle. Grandis, répète-t-elle un peu plus fort. GRANDIS ! ordonne-t-elle.

Une petite pousse verte transperce le sol. Tandis que Twig et Deru dansent autour d'elle, la pousse croît et s'épaissit. Sa tige devient un tronc avec des branches et des épines. Quelques instants plus tard, un Sapin Éternel apparaît devant eux. Ses branches sont si larges et si touffues qu'elles peuvent abriter les quatre amis et leurs chevaux. En dessous s'étend un tapis d'herbes parsemé de fleurs sauvages.

— Bravo ! s'exclame Emma. Installez-vous confortablement, Twig et toi. Vous avez mérité un bon repas !

Pendant le dîner, Emma, Deru et Colm évoquent les aventures qui les attendent.

— Qu'est-ce qu'on fera si Ivenna s'empare du pétale avant nous ? demande Colm.

— Je… n'ai pas encore vraiment d'idée, avoue la fillette.

— J'ai confiance en toi, insiste Deru. Après tout, tu descends de Sigga !

— Je sais que je suis censée devenir une Valkyrie, retrouver les pétales magiques, réunir les hordes perdues… mais comment y parvenir ? demande Emma.

— Sois toi-même, répond son amie. Tu es intelligente, courageuse et généreuse. Ce sont les trois qualités essentielles d'une Valkyrie. Quand un problème survient, les Valkyries trouvent toujours une solution. Ne t'inquiète pas.

Avant de s'endormir, Emma écrit dans son journal :

J'espère que Deru a raison. Je devrais cesser de m'inquiéter… et croire en moi.

2. Le lac gelé

À son réveil, le lendemain, le sol est recouvert d'un beau tapis blanc. Les quatre amis rangent leurs affaires, montent à cheval et repartent pour une nouvelle journée d'aventures.

Ils avancent lentement. La couche de neige est si épaisse qu'elle arrive aux genoux des chevaux ! Plus la route grimpe, plus il fait froid. Malgré son

manteau fourré, Emma grelotte dans l'air glacé. Derrière elle, Soot dégage une chaleur si forte que Colm a très chaud : il a les joues rouges et il transpire.

Quelle chance, se dit la fillette.

Au bout d'un moment, la route cesse de grimper et une grande plaine apparaît devant eux. Au loin, sur le bord du chemin, il y a comme une maison couverte de neige.

— Un hangar à bateaux ! s'exclame Johan. Ça veut dire que nous sommes près du rivage de Wintermere, le plus grand lac du Nord de Septentrion. Il est gelé, mais les voiliers des glaces peuvent le traverser. Avec ce vent, nous atteindrons l'autre rive beaucoup plus vite qu'à cheval !

Emma et ses amis arrivent devant le hangar. Un quai enneigé mène vers une immense étendue blanche. *Le lac gelé doit être juste en dessous,* se dit Emma. Au loin, sur une île, se dresse une montagne au sommet blanc.

— Nous avons de la chance, déclare Johan en regardant le ciel. Un voilier des glaces est en train d'arriver !

Emma lève les yeux. Un bel étalon noir vole au milieu des flocons en agitant ses grandes ailes. Lentement, il descend vers le quai.

— C'est un guide, explique Johan. Il aide le capitaine du voilier des glaces à trouver les meilleurs vents.

Quelques instants plus tard, un bateau bleu pâle contourne l'île au milieu du lac et vient dans leur direction. Comme *L'Île de Jewel,* le bateau sur lequel Emma et ses amis ont traversé l'océan pour atteindre le port de Midhaven, celui-ci a une proue sculptée en forme de tête de cheval. Quatre voiles triangulaires, gonflées par le vent, sont accrochées à son mât. Sous sa coque, trois énormes patins lui permettent de glisser sur la glace.

Le voilier se range le long du quai. À son bord, Emma aperçoit des marins vêtus de manteaux noirs, de pantalons rayés et de grosses bottes. Le capitaine, un homme moustachu aux joues rougies par le froid, descend pour la saluer.

— Tu es Emma Roland, n'est-ce pas ? Mon nom est Frisco, capitaine du *Frostskimmer*. Notre guide étalon s'appelle Tramontane. Thunder m'a chargé de t'emmener, toi et tes compagnons, jusqu'au château des Valkyries.

Thunder ! se dit Emma, pleine d'espoir. *Le plus courageux de tous les chevaux de légende… Grâce à lui, le pétale sera en sécurité jusqu'à notre arrivée.*

— Merci beaucoup, dit-elle au capitaine Frisco.

— C'est toujours un plaisir d'aider les Valkyries, répond le capitaine. Prêts pour le départ ?

Les quatre amis descendent de cheval et montent à bord du *Frostskimmer.* Un matelot donne un coup de sifflet. Aussitôt, Tramontane repart dans les airs. Le capitaine conduit ses invités à l'arrière du bateau, où un réchaud a été installé sur un petit tas de charbons ardents. Une femme rousse et ronde, vêtue d'un tablier blanc, les accueille.

— Dordi va veiller à votre confort. Bon voyage ! dit Frisco avant de rejoindre son équipage.

En effet, Dordi est aux petits soins pour eux. Cinq minutes plus tard, pendant que les chevaux se régalent de grands seaux d'avoine, Emma et ses amis se retrouvent assis sur un banc, bien au chaud sous de grosses couvertures, à savourer des bols fumants remplis de bouillon de poulet aux légumes.

— Mmm, délicieux ! dit Colm. C'est exactement ce qu'il nous fallait après avoir franchi le plus haut sommet du monde !

— Pas tout à fait, répond Johan en lui montrant la montagne au milieu du lac gelé.

— Comment s'appelle-t-elle ? demande Emma. Je ne l'ai jamais vue, mais elle me semble familière…

— C'est Thunder Peak, explique Deru. Le volcan dort depuis des siècles,

mais il continue à fumer, et son sommet est toujours entouré de nuages.

Au même moment, Wings envoie une image mentale à Emma : une citadelle enneigée aux tours bleues, flottant au-dessus d'un océan de nuages. *Hestheim,* se dit-elle. *Le château des Valkyries… Il est ici !* Tyri, sa marraine valkyrie, lui a raconté, un jour, que seuls les chevaux des Valkyries connaissaient le chemin de la citadelle… Les Valkyries elles-mêmes ne peuvent pas y aller toutes seules ! Emma sourit à Wings pour le remercier d'avoir partagé son secret avec elle.

Le reste de la journée passe vite. Le *Frostskimmer* traverse le lac gelé à vive allure. *Malgré le froid, c'est encore plus agréable que de voyager en mer,* se dit Emma. Le bruit des patins sur la glace, les flocons de neige… C'est une ambiance féerique. Mais une vision encore plus magnifique l'attend à l'approche de Thunder Peak : les tours bleues de la citadelle scintillent à la lumière du soleil couchant. *Peut-être aurons-nous la chance d'y passer la nuit quand nous aurons retrouvé le pétale,* espère-t-elle. *Je suis sûre que Thunder nous invitera !*

Quand le voilier s'arrête le long du quai au pied de Thunder Peak, Emma voit que Thunder est venu les accueillir. Quel honneur ! Le petit groupe remercie Dordi, Tramontane et le capitaine Frisko avant d'aller à la rencontre du légendaire étalon noir.

Mais leur joie est de courte durée : Thunder s'avance vers eux, l'air grave. Comme s'il avait une mauvaise nouvelle à leur annoncer.

3. Ivenna !

— Thunder ! Que se passe-t-il ?
l'interroge Emma.

Le cheval lui envoie une image
mentale : des traces de loups dans la
neige !

— Les loups sont déjà là ? Ils ont
le pétale ? demande Emma, inquiète.

En voyant Thunder secouer la tête,
elle est un peu soulagée. L'étalon lui

envoie une autre image : une carte montrant le château des Valkyries d'un côté, une fleur blanche à l'entrée d'une forêt, et une empreinte de loup de l'autre côté.

— Ils n'ont plus que la forêt à traverser pour récupérer le pétale, dit Emma. Il n'y a plus une minute à perdre. Vite, Thunder, conduis-nous jusqu'à la fleur !

L'étalon agite sa crinière noire et s'éloigne au galop dans la neige. Le groupe longe une falaise et pénètre dans une forêt de Sapins Éternels. Emma remarque à peine la beauté magique du paysage. Elle ne pense qu'à une chose : rejoindre la fleur avant les loups.

Enfin, Thunder ralentit à l'entrée d'une clairière recouverte d'une épaisse couche de neige. Au milieu pousse une fleur blanche dont les pétales sont couverts de givre.

— Le Flocon des Neiges ! s'exclame Johan.

Soudain, un loup au pelage roux surgit d'entre les arbres à l'autre bout de la clairière, suivi d'une énorme meute de loups gris. Terrifiée, Emma voit alors apparaître son pire cauchemar : Ivenna, assise sur un monstrueux loup gris et noir.

— Myrflor, la fleur ! ordonne la sorcière.

D'un bond, son loup s'élance vers le Flocon des Neiges. Au même moment, Thunder se cabre : l'affrontement peut commencer ! Un premier

éclair jaillit de ses sabots noirs, mais Ivenna le bloque avec son bouclier.

—Je veux cette fleur ! hurle-t-elle.

Thunder s'élance au galop vers la sorcière. Le loup roux et quelques autres se détachent de la meute pour courir vers la fleur, tandis que le reste de la horde se précipite pour défendre leur maîtresse.

Tout à coup, Emma a une idée : d'une pression des genoux, elle ordonne à Wings de s'envoler. Le cheval fend les airs en direction de la fleur. Emma se tient prête à tendre la main au bon moment pour la cueillir…

Trop tard : sa courte hésitation a donné un cran d'avance à ses ennemis. Horrifiée, Emma voit le loup roux atteindre la fleur et l'arracher avec ses dents. Les autres bêtes poussent des hurlements de triomphe. Emma est au

bord des larmes. Tous ses cauchemars se sont réalisés.

Au même instant, un coup de tonnerre retentit. *Thunder est en train de provoquer une tempête !* se dit la fillette, qui sent son courage revenir. Elle chuchote quelques mots à l'oreille de Wings, qui repart d'un battement d'ailes… pour atterrir au milieu des loups ! Pris par surprise, les gris reculent. Mais le loup roux, la fleur entre les crocs, grogne pour défier Emma. Elle ne se laisse pas impressionner : elle tend le bras vers la fleur pour l'arracher de sa tige. Elle referme sa main autour des pétales…

Victoire ! Un flash de lumière jaillit au creux de sa paume. Emma ferme les yeux pour ne pas être aveuglée. Quand elle les rouvre, elle découvre un pétale en émail bleu dans sa main. D'un battement d'ailes, Wings repart vers le ciel. Au même moment, Emma sent des crocs pointus lui érafler la main : le loup vient de la mordre ! Courageuse, elle ignore la douleur et range le pétale dans son sac. Puis, d'un coup d'œil, elle vérifie où sont ses amis : Twig et Deru volent au-dessus du sol, et Cayenne et Johan jettent des nuages de poivre sur les loups.

Au milieu de la clairière, Thunder et Ivenna sont engagés dans un terrible duel. Les sabots du cheval projettent des éclairs, et Ivenna contre-attaque en lançant des sortilèges. Un cheval enflammé et son cavalier protègent Thunder en crachant des flammes sur les bêtes qui s'approchent trop. Emma n'en croit pas ses yeux : c'est Soot et Colm ! *Je ne suis pas la seule à me sentir plus courageuse en présence de Thunder,* se dit-elle.

Comme s'il lisait dans ses pensées, l'étalon lève les yeux vers elle. Emma tapote son sac pour lui faire comprendre qu'elle a récupéré le pétale. Thunder lui envoie alors une image mentale : la même carte que tout à l'heure, mais avec des traces de fer à cheval s'éloignant dans la neige vers l'ouest, en direction d'une grotte au pied des montagnes.

Thunder nous indique une cachette, comprend Emma. Elle se tourne vers ses amis pour s'assurer qu'ils ont bien reçu le message : Johan fait « oui » de la tête. L'instant d'après, Cayenne et lui disparaissent dans un tronc d'arbre… exactement comme dans la forêt des Terres d'Émeraude ! Mais Colm et Soot, occupés à se battre contre les loups, n'ont pas compris l'ordre de Thunder.

Emma va à la rencontre de Deru et lui donne son sac.

— Je te confie les pétales, dit-elle. Je vais chercher Colm et je vous retrouve à la grotte !

Puis elle repart aussitôt vers le centre de la clairière. En la voyant arriver, Thunder lui renvoie l'image mentale de la grotte pour lui ordonner de partir. Mais la fillette vient se placer juste au-dessus de son cousin.

— Colm ! Suis-moi, vite !

— Je dois rester ici, Thunder a besoin de nous ! répond le garçon.

— Non, Thunder nous a ordonné de partir ! insiste Emma.

Pour la troisième fois, l'étalon noir envoie aux deux cousins l'image mentale de la grotte. Mais Colm refuse de l'écouter.

— Ça suffit ! crie Emma avec colère. Si tu ne m'obéis pas, je… je te renvoie sur Terre !

— Oh, non ! proteste Colm.

Le jeune garçon comprend que sa cousine ne plaisante pas. D'un air rageur, il presse les genoux autour de Soot et s'envole. Les deux cousins s'éloignent dans les airs au-dessus de la clairière où Thunder et Ivenna continuent leur combat. Au même moment, le tonnerre gronde et le brouillard envahit le ciel. La tempête est proche ! *Courage, Thunder !* pense Emma en s'accrochant à la crinière de Wings.

4. Un abri pour la nuit

Le trajet est très difficile à cause du vent et du brouillard. Heureusement, la lumière de Soot les éclaire.

Quelques minutes plus tard, les deux chevaux se posent devant l'entrée de la grotte. *Tant pis pour le château des Valkyries*, se dit la fillette. *Je suis si fatiguée que je pourrais dormir n'importe où... même dans ce trou glacial !*

Mais, une fois à l'intérieur, une bonne surprise l'attend : au bout d'un long couloir, derrière une porte en bois, elle découvre une salle immense creusée dans la roche. Le long des murs, des couvertures et des peaux de bêtes forment des lits confortables. Au centre de la pièce, Johan est en train de remuer la soupe dans une marmite au-dessus d'un petit tas de pierres de chaleur. Deru examine des étagères pleines de provisions. Tout au fond, il y a même un coin avec de la paille pour les chevaux !

Sans dire un mot, Colm emmène Soot vers l'écurie. Emma commence à enlever la selle de Wings, mais pousse un petit cri de douleur : sa main lui fait mal.

— Tu es blessée ! s'exclame Johan.

— Un loup a essayé de me mordre, explique la fillette. Mais ce n'est pas très grave…

— Je veux te soigner, déclare Johan en sortant deux flacons de son sac.

— Qu'est-ce que c'est ? demande Emma.

— De l'essence de fleurs magiques et de la pommade à base d'herbes, répond Johan.

Avec délicatesse, il nettoie la blessure d'Emma et applique dessus une couche de crème.

— Je me sens déjà mieux, soupire la fillette.

— Va te reposer, dit Johan. Je vais installer Wings dans l'écurie.

Emma retrouve son sac près de la marmite et l'ouvre pour admirer les pétales en émail. Les deux premiers

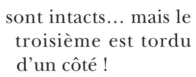

sont intacts… mais le troisième est tordu d'un côté !

— Oh, non ! s'exclame-t-elle. J'ai dû le casser en arrachant la fleur des crocs du loup…

— Il est juste un peu abîmé, dit Johan. Je suis sûr que tu pourras quand même le fixer sur la Sunstone.

— J'espère, dit Emma. Tu crois que Thunder s'en sortira, seul contre Ivenna et ses loups ?

— Ne t'inquiète pas pour lui. Il connaît bien Ivenna. La tempête de neige qui s'annonçait n'était qu'un petit aperçu de ce qu'il est capable de lui infliger !

La fillette range les pétales dans son sac. Deru s'avance soudain vers elle, le visage grave.

— Emma, il faut que tu parles à ton cousin, dit-elle. Il est très fâché contre toi.

— Je sais, dit la fillette. Il est furieux parce que je l'ai empêché de rester pour défendre Thunder.

— Pas seulement. Il dit que tu as menacé de le renvoyer sur Terre.

— Je ne le pensais pas vraiment, dit Emma. Colm est parfois insupportable, mais c'est mon cousin !

— Alors va faire la paix avec lui, insiste Deru.

Emma soupire et se dirige vers l'écurie. Le garçon est occupé à brosser Soot, qui est couvert de suie.

— Colm, commence la fillette, écoute-moi...

— Non, l'interrompt le jeune garçon. J'en ai assez de t'écouter ! Tu me donnes toujours des ordres !

— Je suis venue m'excuser. Je comprends ta colère…

— Non, tu ne comprends pas ! s'écrie Colm. C'est toujours toi qui décides ! Et maintenant, alors que j'ai prouvé que j'avais du courage, tu vas me renvoyer sur Terre !

— J'ai dit ça seulement pour t'obliger à me suivre parce que tu ne m'écoutais pas ! répond Emma.

— Oui, pour une fois que je faisais quelque chose de bien…

Le garçon presse son visage contre Soot et se met à pleurer.

— Pardonne-moi, dit Emma. Je ne voulais vraiment pas te faire de peine. J'admire beaucoup ce que tu as fait pour Thunder…

Mais Colm ne l'écoute plus. Soot lève les yeux vers elle et secoue gentiment la tête.

Les larmes aux yeux, Emma va s'allonger auprès de Wings. *C'est ma faute*, se dit-elle. *Maintenant, il m'en veut…* Malgré son chagrin, elle finit par s'endormir.

Au milieu de la nuit, Emma ouvre les yeux et sent que quelque chose a changé. Elle se redresse et tend l'oreille. Soudain, elle comprend ce qui l'a tirée de son sommeil : le silence. Le bruit du vent a disparu ! Tout doucement, pour ne pas réveiller les autres, elle enfile son manteau et sort de l'écurie.

Dehors, presque tous les arbres sont tombés, et le sol est recouvert de plusieurs mètres de neige.

La tempête provoquée par Thunder a dû être terrible ! *Ivenna et ses loups doivent être loin, maintenant,* se dit Emma. Soulagée par cette pensée, elle retourne se coucher.

5. Le Glacier des Blancs-Manteaux

Le lendemain matin, Emma se lève et va au centre de la salle, où Johan est déjà en train de préparer le petit déjeuner.

— Comment va ta blessure ? lui demande-t-il.

— Très bien, merci ! répond Emma en montrant sa main, où il ne reste plus qu'une discrète cicatrice rose.

Mais tu as vu la couche de neige, dehors ? On ne pourra jamais repartir d'ici sans voler !

— Ne t'inquiète pas, répond Johan. J'ai trouvé des raquettes à neige pour les chevaux sur les étagères.

— Qu'est-ce que c'est ? demande Emma.

Johan ouvre une boîte pour les lui montrer : ce sont des semelles circulaires en bois à fixer sous les sabots des chevaux grâce à des sangles en cuir.

— Avec ça, ils pourront marcher sur la neige, même si elle est très épaisse.

Pendant le petit déjeuner, Johan explique aux autres le programme de la journée.

— Nous devons fuir les routes principales pour éviter les espions d'Ivenna, dit-il. En marchant vers le sud, nous

atteindrons la rive du lac Wintermere jusqu'au Glacier des Blancs-Manteaux. Ensuite, nous longerons le glacier pour sortir des montagnes.

— Et l'arrière du glacier se trouve juste en dessous du Pays Céleste, ajoute Deru. Ce sont les îles volantes où vivent Nike et la Horde Airistos.

— C'est sûrement là-bas, près du château d'Airistos, que nous attend le prochain pétale ! s'exclame Emma. En route, mes amis !

Une fois les raquettes à neige fixées aux sabots des chevaux, tout le monde est prêt. Johan et Cayenne sortent les premiers.

Wings et Twig font quelques pas hésitants dans la neige. Ils ne sont

pas habitués à marcher avec des raquettes. Mais ils s'adaptent très vite. En revanche, Soot a des difficultés… Au bout de quelques mètres, Emma entend un bruit et se retourne : le poulain noir s'est enfoncé dans la neige jusqu'au ventre ! Ses efforts pour remonter à la surface ne font qu'empirer les choses : son corps dégage tant de chaleur que la neige autour de lui se transforme en cendres.

— C'est ta chaleur magique, lui dit Emma. Je sais que tu tentes de réchauffer Colm, mais tu fais fondre la neige sous tes sabots ! Essaie de diminuer ta température.

Le poulain hoche la tête, mais il lui faut quelques minutes avant de contrôler la chaleur de son corps. Il finit enfin par ressortir de la neige en laissant une traînée de cendres derrière lui.

Inquiet, il envoie l'image mentale d'Ivenna et de ses loups suivant la traînée noire sur la neige.

— Ne t'en fais pas, Soot, le rassure Emma. Je suis sûre que les loups n'auront aucune envie de te suivre, après ce que Colm et toi leur avez infligé hier !

Le poulain agite fièrement sa crinière, et Colm adresse un petit sourire à sa cousine. La fillette est soulagée : ils sont enfin réconciliés.

Le groupe s'engage sur un sentier étroit qui descend le long de la montagne. Dès que la route devient moins pentue, Cayenne accélère le rythme. *Enfin, on avance !* se dit Emma. Une autre bonne nouvelle l'attend : au loin, elle voit un hangar à bateaux. Un voilier des glaces est déjà amarré au ponton, mais il a l'air plus petit et moins confortable que le *Frostskimmer*. Trois hommes à l'air bourru sortent du hangar, vêtus d'habits troués et tachés. Ils ont tous trois des yeux bleus et une barbe blonde.

— Bonjour, dit Johan. Allez-vous vers le sud, par hasard ?

— Oui, répond l'un des trois. Mais nous n'emmenons personne. Le *Snowdrift* transporte du courrier, pas des voyageurs.

— Nous ne sommes que quatre, insiste Johan.

— Pas la place, répète l'homme. Vous n'avez qu'à attendre un plus gros bateau !

— Vous ne savez pas à qui vous parlez, intervient Colm en désignant sa cousine. C'est Emma Roland, de la famille Rolanddotter, descendante de Sigga. Et future Valkyrie en mission !

— Vraiment ? demande l'homme en souriant. Il fallait le dire plus tôt ! Montez vite. Je m'appelle Uwe Isvind, et voici mes frères, Freysten et Oddo.

En effet, il n'y a pas beaucoup de place à bord, mais en se serrant un peu, tout le monde arrive à tenir. Uwe les autorise à s'asseoir sur les gros sacs de courrier entreposés sur le pont du bateau.

Le voilier s'élance sur le lac gelé.

— Merci pour ce que tu as dit, murmure Emma à l'oreille de son cousin.

— De rien, dit Colm en souriant. C'est normal. Tout le monde aime les Valkyries…

Le *Snowfrift* les emmène jusqu'à la pointe sud du lac, pile au sommet du Glacier des Blancs-Manteaux. À l'arrivée, Emma remercie chaleureusement les trois marins.

— Bon courage pour ta mission, répond Uwe. Salue bien les Valkyries de notre part !

La tempête de neige n'est pas arrivée jusque-là. Johan et ses amis s'engagent sur un chemin qui longe le glacier en marchant lentement pour ne pas déraper sur les graviers. Emma est pressée de retrouver le prochain pétale, mais cette marche lente lui permet d'admirer le paysage. Le glacier ressemble à une immense vague gelée qui descend de la montagne. Au bout d'un moment, Emma aperçoit un grand lac bleu et gris au fond de la vallée. *C'est la Baie des Glaces*, se dit-elle. *Je la reconnais ! Tyri m'a déjà emmenée ici pour m'entraîner à voler sur le dos de Wings… Ça veut dire que nous sommes tout près du château de Rolandsgaard !*

6. Nike

Mais Emma et ses amis sont encore loin de chez eux.

Le soir, Johan installe le campement sous quelques sapins, à l'abri du vent.

— Nous avons franchi la partie la plus pentue de la montagne, explique-t-il. Demain après-midi, nous atteindrons la Baie des Glaces.

— À quelle distance de la baie se trouvent le château d'Airistos et le prochain pétale ? demande Emma.

— Le château est situé sur une île volante du Pays Céleste. C'est pour ça qu'il est difficile à trouver, car les îles se déplacent toutes seules dans le ciel et ne sont jamais au même endroit.

— Comment vas-tu retrouver la bonne île, alors ? demande Colm. Cayenne ne sait pas voler !

— Ma jument a plus d'un tour dans son sac, répond Johan avec un sourire. Tu verras…

Le lendemain matin, Emma se réveille avant les autres. Elle en profite pour écrire dans son journal :

Plus que deux pétales. Je sais que nous pouvons compter sur l'aide de Nike, aujourd'hui. Après, il n'y a plus de chevaux de légende. Je me demande qui garde le dernier pétale...

La fillette prépare le petit déjeuner et s'occupe des chevaux. Enfin, ses amis se réveillent. La journée peut commencer !

Après quelques heures de marche, le groupe arrive enfin à la Baie des Glaces en début d'après-midi. La vue est magnifique : de petits icebergs bleus flottent tranquillement sur l'eau. *C'est Finnerlie,* se dit soudain Emma en reconnaissant un petit village avec des maisons en toit de chaume. *Ça veut dire qu'on est à Trails End !* Le groupe finit par s'arrêter à la pointe du lac.

En levant les yeux, Emma découvre une dizaine d'îles volantes à travers les nuages. Cinq ou six d'entre elles

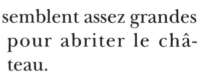

semblent assez grandes pour abriter le château.

— On ne voit que le dessous, dit Emma. Comment savoir laquelle est la bonne ?

— Il faut établir une connexion avec les Lignes Vertes des îles volantes, répond Johan en sortant un haricot violet à pois verts de son sac.

— Un haricot magique ! s'exclame Deru. Quelle bonne idée ! Twig et moi pouvons l'aider à pousser plus vite.

Johan plante la graine dans le sol. Deru et Twig se mettent à danser tout autour. Bientôt, une tige épaisse sort de terre et grimpe vers la première île.

— Emma, viens à côté de moi, dit Johan. La magie de la Sunstone va m'aider.

Il regarde la broche de la fillette, qui se met à briller. Puis il pose sa main sur la tige du haricot.

— Ça, alors ! s'exclame-t-il. On a de la chance… Le pétale se trouve sur l'île qui vole juste au-dessus de nous !

— Tu es sûr ? demande Deru. Elle me paraît trop petite pour contenir le château d'Airistos.

— En fait, les îles bougent, explique Johan. Il y a mille ans, celle-ci faisait peut-être partie d'une île plus grosse qui a été divisée en plusieurs morceaux.

— Si le pétale est là-haut, il n'y a plus une seconde à perdre, déclare Emma. On y va !

D'un battement d'ailes, Wings s'envole, aussitôt imité par Soot et Twig.

Quelques instants plus tard, en arrivant sur l'île, Emma, Colm et Deru

ont une drôle de surprise : Johan et Cayenne sont déjà là !

— Mais… comment as-tu fait pour grimper aussi vite ? demande Colm.

— Vous êtes passés à travers le haricot magique, n'est-ce pas ? devine Emma. Comme quand vous avez disparu dans un arbre, d'abord dans la forêt des Terres d'Émeraude, puis dans la clairière avec les loups !

— Ça s'appelle chevaucher les plantes, explique Johan. Cayenne m'a fait grimper dans le haricot magique, puis atterrir ici grâce à un Laurier Ionique, ajoute-t-il en montrant un buisson.

— Il y a tant de fleurs ! dit Deru. Comment savoir où est caché le pétale ?

— Nous avons besoin de Nike, répond Emma en observant les autres îles entre les nuages.

Elles ont toutes l'air très agréable, avec de grandes maisons blanches et de beaux jardins. Mais aucune de ces maisons ne ressemble à un château, et aucun des chevaux ailés qui volent entre les nuages n'a la couleur ou la taille de Nike.

Soudain, les nuages s'écartent, et une île immense, couverte d'arbres et de cascades, apparaît à quelques centaines de mètres. Le château de marbre blanc qui se dresse au milieu est si beau qu'Emma en a le souffle coupé ! Son dôme est surmonté d'une statue de cheval. Quand le cheval se retourne, Emma comprend que ce n'est pas une statue…

— La voilà ! s'écrie Deru. Nike !

À ces mots, la jument couleur noisette traverse le ciel pour les rejoindre.

— Bonjour, Nike, dit Emma en faisant la révérence. Merci d'être venue

et d'avoir veillé sur le Laurier Ionique pendant toutes ces années. Tu veux bien m'aider à retrouver le pétale pour compléter la Sunstone ?

La jument agite sa crinière et sa queue roses. Puis elle envoie une image mentale à Emma : elle cueille une fleur dans un buisson de laurier. En regardant autour d'elle, Emma repère le bon buisson et s'avance pour prendre la fleur.

Un flash de lumière familier jaillit au creux de sa paume, et la fillette ferme les yeux. Quand elle les rouvre, le Laurier Ionique est devenu un pétale vert pâle en émail bordé d'un fil d'or ! Elle le montre à ses amis avant de le ranger dans son sac.

— Merci, dit-elle à Nike. Merci à toi et aux autres chevaux de légende de m'avoir guidée dans ma quête.

La jument pose son front contre le sien et lui transmet une vision en privé. Emma découvre une tapisserie représentant cinq chevaux en demi-cercle : Thunder et Fiona d'un côté, Jewel et Nike de l'autre, et une magnifique jument blanche au milieu. Sa crinière et sa queue brillent de mille étincelles.

— Bella ! s'écrie Emma. C'est donc elle, le cinquième cheval !

— Quel cinquième cheval ? demande Colm.

— Il y a cinq pétales, mais seulement quatre chevaux de légende, explique Emma. Bella est la gardienne du dernier pétale. Et le château de la horde Bellasara est... Rolandsgaard.

— Tu veux dire que pendant tout ce temps-là, le dernier pétale nous attendait chez nous ? s'exclame Colm qui n'en croit pas ses oreilles.

— Oui, murmure Johan. Je m'en souviens, maintenant… L'Orchidée Rolanddotter.

— Je suis sûre qu'elle est dans le Jardin aux Orchidées ! dit Deru.

— Il y a un jardin d'orchidées au château ? s'étonne Emma. Je ne l'ai jamais vu !

— Normal, répond Deru. Il est bien caché, mais je sais où il est…

— On rentre à la maison ! s'exclame joyeusement Emma.

7. Les retrouvailles

Emma et ses amis disent au revoir
à Nike et redescendent sur le sol.
Puis ils s'élancent au galop en direction de Rolandsgaard. Emma reconnaît le paysage à mesure qu'il défile.
Ça, c'est le moulin de Wishington, se
dit-elle. *Plus que quelques kilomètres.
Ensuite, il faudra traverser l'horrible forêt de Darkcomb, puis tourner à gauche*

après le Lac du Chaudron et longer la Rivière Fastalon.

Enfin, elle aperçoit les toits en tuiles roses et les tours du château. Son cœur fait un bond de joie dans sa poitrine.

— On y est ! lance-t-elle à ses amis.

À peine ont-ils franchi la moitié du pont que les trompettes du château retentissent : on annonce leur arrivée ! Des serviteurs viennent les accueillir. Parmi eux, Emma reconnaît une jeune fille blonde qui travaille aux écuries du château.

— S'il vous plaît, mademoiselle Emma ! dit-elle en lui tendant un message. C'est de la part de Dame Tyri !

Emma la remercie et ouvre la lettre.

Chère Emma,
Quand tu liras ces mots, tu seras arrivée saine et sauve à Rolandsgaard. Merci de m'avoir envoyé Waterlily et Lotus pour me

prévenir que ta mission serait plus longue que prévu. Sans ça, je me serais inquiétée !

De mon côté, je n'ai pas eu beaucoup de chance : Ivenna et la Starstone sont introuvables. Elles ne sont pas au château de Styginmoor, comme je le pensais. Je dois donc parcourir toutes les anciennes cachettes d'Ivenna avec Seraphia.

Je suis désolée de ne pas être là avec toi, mais je suis très fière de toi.

À bientôt,

Tyri.

— Tyri m'annonce qu'elle n'a pas encore retrouvé l'otter, explique Emma à ses amis. Nous allons devoir continuer notre quête sans elle…

Les quatre cavaliers contournent le château et pénètrent dans les jardins. Emma avait oublié à quel point ils étaient beaux : des petits chemins zigzaguent entre les arbres et les buissons. Dans le verger, les pommiers sont en fleurs et le potager est rempli de légumes.

— Le Jardin d'Orchidées est par ici, dit Deru en désignant une petite colline entourée d'un muret.

L'entrée du jardin est fermée par une grille.

— Pourquoi y a-t-il un mur tout autour ? demande Emma.

— Sigga a planté ce jardin avec Sunflower, explique la Dryade. Elle venait ici quand elle avait besoin d'être seule.

Ils descendent de cheval. Emma va ouvrir la grille et entre dans le jardin. À l'intérieur, c'est si magnifique qu'elle reste bouche bée. Des centaines d'orchidées, de toutes les couleurs et de toutes les formes, sont plantées le long des allées. *Je comprends pourquoi Sigga aimait venir ici,* se dit-elle.

— Alors, laquelle d'entre elles est l'Orchidée Rolanddotter ? demande Colm.

— Pour le savoir, il faut retrouver Bella, répond Emma. Prenons ce sentier et allons…

Elle ne finit pas sa phrase. Wings pousse un hennissement de joie et s'éloigne sur un autre sentier. Quelques secondes plus tard, Soot hennit à son tour et le suit !

— Qu'est-ce qui se passe ? demande Colm.

— Je n'en sais rien… Rattrapons-les ! s'exclame Emma.

Les deux cousins courent après leurs chevaux. Au détour d'un chemin, ils s'arrêtent. Une vision inattendue les surprend : Wings et Soot frottent leurs museaux contre une superbe jument noire qu'Emma reconnaît aussitôt. Elle n'en revient pas.

— Dowager ! s'écrie-t-elle, les larmes aux yeux. Tu m'as tellement manqué ! Mais, je ne comprends pas... Sur Terre, tu as donné naissance à Wings juste avant de... mourir. Comment peux-tu être ici ?

La jument lui envoie trois images : elle est allongée dans l'écurie, immobile, juste après la naissance de Wings ; puis elle lève les yeux vers une horde de chevaux magiques ; enfin, elle s'envole avec eux dans le ciel.

— Les chevaux magiques t'ont emmenée ici, murmure Emma. Je vous présente Dowager, dit-elle à ses amis. La maman de Soot et de Wings !

— Oh, je la connais bien ! répond Deru. L'an dernier, j'étais à la cérémonie où Jewel l'a nommée gardienne du Jardin d'Orchidées de Rolanddotter pour fêter son retour au Nord de Septentrion.

— Son… retour ? s'étonne Emma.

— Sigga avait le droit d'emmener un cheval avec elle quand elle a été bannie sur Terre. Elle a choisi Dowager, car elle voulait que ce soit la mère de ton futur poulain.

Sigga a choisi Dowager exprès pour moi, se dit Emma. *Elle avait déjà tout prévu mille ans avant ma naissance !*

Émerveillée, la fillette voit alors une jument blanche étincelante venir à leur rencontre. Bella ! Une jeune fille blonde à l'air joyeux marche à ses côtés : c'est Sara, la cavalière de Bella et la déesse des chevaux magiques.

— Te voilà enfin ! s'exclame-t-elle en embrassant Emma. Et avec tes amis !

— Sara, pourquoi ne m'as-tu jamais dit que Dowager était vivante ?

— Pour moi, elle l'a toujours été, répond la déesse. J'aime tant les chevaux que je ne supporte pas de les voir mourir. Voilà pourquoi je les fais venir ici.

Ça alors ! se dit Emma. *Est-ce que tous les chevaux qui ont vécu sur Terre vivent aujourd'hui au Nord de Septentrion ?*

Perdue dans ses pensées, la fillette reçoit soudain l'image mentale d'une orchidée violette. Elle lève les yeux et voit que Bella la regarde d'un air impatient.

— Pardon, Bella, dit-elle. J'avais presque oublié l'Orchidée Roland-dotter... Peux-tu me dire où elle est ?

Bella lui désigne une voûte en pierre. Un pot en porcelaine est suspendu en plein milieu. À l'intérieur, Emma découvre une magnifique orchidée violette entourée de deux fleurs jaune pâle.

— Bella, merci d'avoir veillé sur l'Orchidée pendant si longtemps. Puis-je maintenant la retransformer en pétale ?

Bella hoche la tête. Emma cueille l'Orchidée. Cette fois, la fleur émet moins de lumière que d'habitude, plutôt une douce chaleur au creux de sa main. L'instant d'après, elle devient un pétale en émail violet.

Soulagée, Emma le montre à ses amis.

— Le dernier pétale… déclare Johan, très ému.

— Youpi ! s'exclame Deru. Le grand moment est arrivé : on va enfin reconstituer la Sunstone !

8. Shine

Emma détache la Sunstone de sa veste et sort les pétales de son sac. D'abord, le pétale jaune de la Rose du Désert : il se met en place parfaitement. Tout comme le pétale jaune de l'Hibiscus de l'Océan, le pétale vert du Laurier Ionique et le pétale violet de l'Orchidée Rolanddotter. La Sunstone brille de plus en plus fort à mesure qu'elle retrouve ses pétales. Plus qu'un dernier : Emma essaie de fixer le pétale bleu du Flocon des Neiges… Hélas, ça ne marche pas !

— Il est vraiment cassé, dit-elle, les larmes aux yeux. Sara, crois-tu pouvoir le réparer ?

— Oh, non ! répond la jeune déesse. Je ne connais rien aux bijoux. Il faudrait une spécialiste…

Une spécialiste en bijoux ? Emma a une idée.

— Mon amie Shine Anders et sa famille ont une bijouterie à Canter Hollow. Restez ici, dit-elle à ses amis. On se retrouve ce soir au château pour le dîner !

La fillette sort des jardins du château et prend la route du village. Quelle joie de retrouver les rues familières de Canter Hollow ! Elle

quitte l'avenue Bagatella et tourne dans l'allée des Artisans. Au bout de quelques mètres, elle trouve ce qu'elle cherchait : une petite boutique appelée *La Cave au Trésor*. Des clochettes résonnent quand elle ouvre la porte.

— J'arrive tout de suite ! crie une voix depuis l'arrière-boutique.

Emma en profite pour admirer l'intérieur. Des bijoux sont exposés dans des meubles en bois et en verre : boucles d'oreilles, colliers, bracelets de chevilles, ornements pour les crinières des chevaux... Dans un coin de la pièce, on voit un établi avec des outils bien rangés.

Une jeune fille aux cheveux châtains attachés en queue-de-cheval arrive derrière le comptoir. En voyant Emma, elle écarquille ses jolis yeux verts.

— Emma ! Quelle bonne surprise ! Tu es de retour parmi nous !

— Oui, je suis revenue. Mais ma mission n'est pas terminée. J'ai besoin de ton aide… lui explique Emma en lui montrant la Sunstone et le pétale bleu tordu. Ce pendentif est cassé. Pourrais-tu le réparer ?

Shine prend la Sunstone et l'examine avec une loupe.

— C'est magnifique ! s'exclame-t-elle. Où l'as-tu trouvé ?

— C'est la Sunstone, le pendentif magique de la horde Sunflower. Je dois la réparer pour retrouver les hordes disparues.

— Ce serait un honneur pour moi de t'aider dans ta mission, dit Shine.

Le pétale est juste un peu tordu. Je pense pouvoir le redresser !

Shine se dirige vers son établi avec le pétale et sa loupe. Elle sort une petite enclume, une lampe à huile miniature et une trousse en cuir pleine de mini-accessoires : pinces, tenailles, burins, marteaux… Tous sont gravés d'une orchidée.

— On dirait le symbole des Roland-dotter, dit Emma.

— Oui, répond Shine en frottant la lampe à huile pour faire apparaître une petite flamme orange. Ils appartenaient à mes ancêtres, du temps où ils étaient les bijoutiers officiels du château.

Tout en parlant, elle prend le pétale bleu avec ses mini-pinces et place la partie tordue au-dessus de la flamme.

— Hélas, poursuit Shine, après le départ de Sigga, le château a traversé une période difficile. Plus personne n'avait besoin de beaux bijoux ni de bijoutiers officiels...

Shine retire le pétale de la flamme, le pose sur son enclume miniature, puis tape délicatement sur le coin tordu avec un petit marteau.

— Quel dommage, répond Emma. Mais... j'ai une idée : tu sais que le château de Rolandsgaard est à moi, maintenant. Ça veut dire que je peux nommer ta famille bijoutiers officiels du château !

— Oh, merci ! dit Shine. Mes parents vont être très contents !

Elle se remet au travail avec encore plus d'ardeur. Quelques minutes plus tard, elle montre le pétale réparé à son amie.

— Bravo ! s'exclame Emma. Il est comme neuf ! Tiens, à toi l'honneur de le re- mettre sur la Sunstone !

Shine fixe le pétale sur le pendentif... Il s'emboîte parfaitement ! La Sunstone se met à briller dans sa main. Folle de joie, Shine admire la pierre précieuse au milieu du pendentif. Mais, soudain, la peur se lit sur son visage...

— Que se passe-t-il ? lui demande Emma.

— Oh, j'ai eu une vision horrible ! dit Shine en tremblant. Des yeux rouges, comme ceux d'un loup !

— Fais voir ! dit Emma en lui repre- nant le bijou des mains.

Elle examine attentivement la pierre précieuse. En effet, deux yeux

rouges et menaçants apparaissent...
La fillette sent un frisson de terreur
la parcourir.

— Le bijou est corrompu par la
magie des loups ! s'écrie Shine.

Au même moment, le centre de la
Sunstone émet une violente lumière
rouge, comme des flammes. Emma
rassemble tout son courage pour
continuer à fixer la pierre précieuse
du regard. *Si je détourne les yeux,* se dit-
elle, *la magie des Guerriers Loups triom-
phera, et ils contrôleront la Sunstone pour
toujours !*

—Je suis la descendante de Sigga
de Rolanddotter et je vous ordonne
de libérer cette pierre précieuse ! dé-
clare-t-elle d'une voix forte.

En même temps, elle se concentre
sur l'image mentale de l'Orchidée
Rolanddotter. Au loin, elle entend

chanter des voix de femmes. Un bruit résonne dans la pièce… Le sortilège est rompu : la Sunstone a retrouvé sa couleur normale !

Emma examine le bijou. Les yeux de loup ont disparu, remplacés par l'image d'un cheval ailé.

— Oh, Shine, le pendentif est guéri ! Regarde, le pouvoir de Sunflower a vaincu la magie des Guerriers Loups !

— Non, Emma. Ce n'était pas Sunflower. C'est toi qui as guéri la Sunstone. Les voix des Valkyries ont répondu à ton appel ! Je les ai entendues chanter.

Emma n'en croit pas ses oreilles.

— Tu es sûre ? demande-t-elle.

— Oui, répond Shine avec un grand sourire. Crois-en ma parole de bijoutière officielle du château de Rolandsgaard !

9. L'arc-en-ciel de Sigga

Après un bon bain, Emma descend pour le dîner. Elle a mis sa robe préférée, et la Sunstone pend autour de son cou grâce à une chaîne en or offerte par Shine. Tous ses amis l'attendent dans la grande salle à manger. À son entrée, ils se lèvent pour l'applaudir. La fillette rougit et s'incline pour les remercier.

— À votre avis, demande-t-elle à Johan et Deru pendant le repas, que suis-je censée faire de la Sunstone maintenant qu'elle a retrouvé tous ses pétales ?

— Aucune idée, répond le jeune homme. Mon devoir était seulement de la protéger et de te la donner.

— Tu y réfléchiras plus tard, Emma, conseille Deru. Pour l'instant, tu dois te reposer ! Tu as bien mérité une bonne nuit de sommeil.

— Tu as raison, dit Emma. Je suis épuisée.

Mais une fois dans son lit, la fillette n'arrive pas à dormir. Elle est installée dans la suite royale qui appartenait autrefois à Sigga, son arrière-grand-mère.

Le lit est très confortable, mais trop de questions se bousculent dans sa tête : *Que dois-je faire de la Sunstone ? Est-elle vraiment guérie ? Est-ce mon pouvoir qui a vaincu le sortilège des Guerriers Loups ? Si seulement Tyri était là pour m'aider…*

Incapable de fermer les yeux, la fillette sort de son lit et va se promener dans le château. Les couloirs sont déserts, silencieux et plongés dans le noir. Arrivée dans la grande salle de bal, elle lève les yeux vers le Toit de Vent. Juste au-dessus d'elle, les branches d'un arbre s'agitent doucement dans la brise. La fillette entend du bruit dans les feuillages.

— Qui est là ? demande-t-elle.

Le visage de Deru apparaît entre les branches.

— Tu m'as réveillée, dit-elle en se frottant les yeux.

— Tu dors dans cet arbre ? demande Emma.

— J'adore dormir dans les arbres, répond la Dryade. Pourquoi n'es-tu pas dans ton lit ?

— Je n'arrive pas à dormir. Trop de choses m'inquiètent, avoue Emma avant de raconter sa visite dans la bijouterie de Shine. J'espère que la Sunstone est vraiment débarrassée du sortilège des Guerriers Loups... Mais comment en être sûre ?

— Écoute ton instinct, Emma. Si tu as senti que la Sunstone était guérie, je te crois. Aucun sortilège ne peut résister au pouvoir du chant des Valkyries. Et maintenant, va dormir !

— Merci pour ta confiance, répond la fillette. Pardon de t'avoir réveillée...

Emma retourne dans sa chambre juste au moment où l'horloge de son

arrière-grand-père sonne onze heures du soir. Mais les journées sont longues, au Nord de Septentrion : dehors, le soleil commence juste à se coucher. *Dire que tous les objets dans cette pièce ont appartenu à mon arrière-grand-mère… et que je ne l'ai jamais connue !* se dit-elle en admirant le décor de la chambre. La fillette ressent soudain le besoin d'en apprendre un peu plus sur sa célèbre ancêtre.

Son regard est attiré par une jolie petite table en bois près du lit. Un miroir immense est suspendu au mur, juste au-dessus. Quelques objets sont posés sur la table. Parmi eux, Emma s'intéresse surtout à une boîte en métal incrustée de pierres précieuses.

Elle est magnifique, se dit-elle. *C'est sûrement une boîte à bijoux…* Poussée par la curiosité, Emma essaie de l'ouvrir. Mais, bizarrement, la boîte ne semble pas avoir de couvercle : elle est construite d'un seul bloc.

La fillette l'examine de plus près. Sur le haut, on peut voir sept cercles gravés dans le métal. Tous sont peints de couleurs différentes. Ensemble, ils représentent toutes les couleurs de l'arc-en-ciel. *C'est sûrement un symbole,* pense-t-elle. *Mais lequel ?* Emma passe doucement sa main sur les cercles… Au même moment, la boîte bouge sous ses doigts ! Surprise, la fillette écarte vivement sa main. Elle n'en croit pas ses yeux : la boîte s'ouvre toute seule, comme par magie !

L'intérieur est tapissé de velours noir. Un petit miroir ovale est incrusté dans le couvercle, avec des crochets tout autour pour y suspendre des bracelets, des colliers et des bagues. Hélas, à part ça, la boîte est vide.

Un peu déçue, Emma retire la Sunstone de son cou pour la suspendre à l'un des crochets. *Après tout, c'est une boîte à bijoux !* se dit-elle en soupirant. Elle s'apprête à refermer le couvercle quand un rayon du soleil couchant éclaire sa main à travers la fenêtre. Soudain, elle a une idée…

Au lieu de refermer la boîte, elle la fait pivoter sur la table pour que le rayon de soleil tombe pile sur la Sunstone. L'effet est immédiat : aussitôt, le pendentif se met à briller de mille feux et projette une lueur intense dans toute la pièce. La lumière devient plus forte à chaque seconde. Tout à coup, un arc-en-ciel surgit de la boîte et traverse le plafond !

Emma court jusqu'au balcon de sa chambre : un arc-en-ciel géant jaillit du château de Rolandsgaard. Le ciel tout entier est illuminé. Même le village de Canter Hollow est baigné de lueurs multicolores. Les habitants sortent dans la rue, stupéfaits devant cette vision magique.

Au même moment, Sara entre dans la chambre d'Emma.

—Je vois que tu as trouvé un bijoutier pour réparer le pétale, dit-elle.

— En effet, dit Emma. Mais... qu'est-ce que ça veut dire ?

— Aucune idée, répond la déesse. Mais les arcs-en-ciel sont faits pour être suivis... Qui sait ce qui se trouve à l'autre bout ?

— Wouah, Emma ! s'exclame Colm en accourant dans la chambre de sa cousine. C'est toi qui as fait ça ?

— Shine a réparé la Sunstone, explique la fillette. Je l'ai placée sous le dernier rayon de soleil... et voilà le résultat.

— Où va cet arc-en-ciel ? demande le jeune garçon.

— On dirait qu'il se dirige vers l'est, en direction de la Forêt de Jasmin, répond Sara. Je conseillais justement à Emma de le suivre.

— Excellente idée ! s'écrie Colm. Je t'accompagne !

— On repart en voyage ? demande Deru en rejoignant ses amis dans la chambre.

— On va suivre l'arc-en-ciel ! se réjouit Colm en tapant des mains. Pas vrai, Emma ?

— Euh… j'imagine que oui, répond la fillette en souriant.

— Génial ! dit Colm. En route pour la Forêt de Jasmin !

Fin

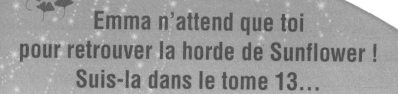

**Emma n'attend que toi
pour retrouver la horde de Sunflower !
Suis-la dans le tome 13…**

Le labyrinthe d'Emma

Grâce aux chevaux légendaires,
Emma a réuni tous les pétales
de la pierre Sunstone. Lorsqu'elle a
placé la fleur sous les rayons du soleil
couchant, un arc-en-ciel est apparu !
Emma et ses amis décident alors
de suivre les rayons colorés,
sur la piste de la horde
Sunflower…

**Retrouve toutes les histoires
de tes chevaux magiques préférés
dans les livres précédents !**

Le destin d'Emma

Le trésor d'Éléonore

La victoire de Marie

Le rêve d'Astrid

Le défi de Clara

La mélodie de Laure

Le pouvoir de Julie

Le voyage de Shine

**Le nouvel ami
d'Ambre**

L'île de Miki

La quête d'Emma

TABLE

PAPIER À BASE DE
FIBRES CERTIFIÉES

Hachette s'engage pour
l'environnement en réduisant
l'empreinte carbone de ses livres.
Celle de cet exemplaire est de :
400 g éq. CO_2
Rendez-vous sur
www.hachette-durable.fr

Photogravure Nord Compo - Villeneuve d'Ascq

Imprimé en Roumanie par G. Canale & C. S.A.
Dépôt légal : août 2013
Achevé d'imprimer : août 2013
20.3969.1/01 – ISBN 978-2-01-203969-8
Loi n° 49956 du 16 juillet 1949
sur les publications destinées à la jeunesse